D0522096

Hoi, hier ben ik!

Hoe kleine dieren groot worden

DK

Een Dorling Kindersley Boek
www.dk.com

NUR 223/DK090901

First published in Great Britain in 2008
by Dorling Kindersley Limited, 80 Strand,
London, WC2R 0RL
Tekst: Lorrie Mack
Oorspronkelijke titel: *Animal families*
Nederlandse vertaling: Merel Leene
Omslagontwerp: Mariza O'Keefe

www.kluitman.nl

Inhoud

Net als wij

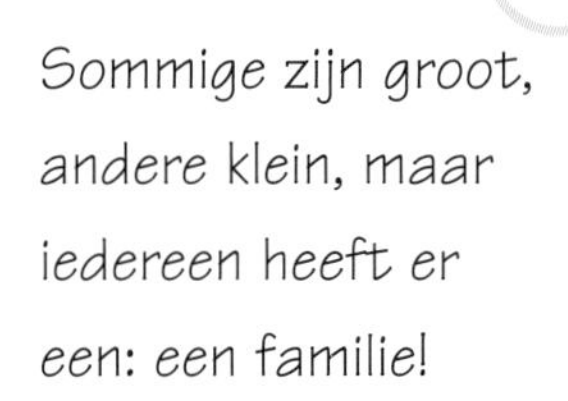

Sommige zijn groot, andere klein, maar iedereen heeft er een: een familie!

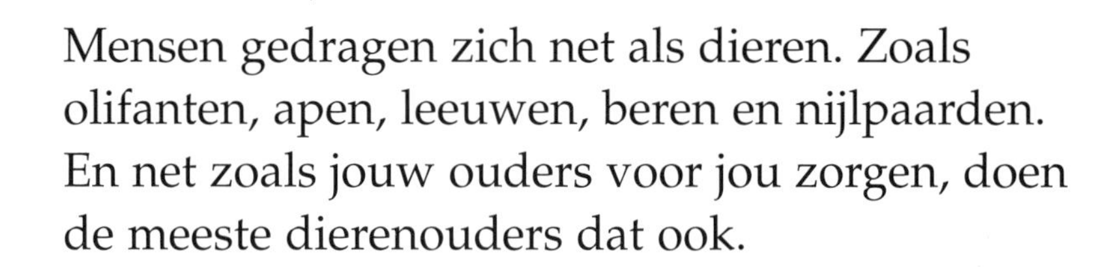

Mensen gedragen zich net als dieren. Zoals olifanten, apen, leeuwen, beren en nijlpaarden. En net zoals jouw ouders voor jou zorgen, doen de meeste dierenouders dat ook.

Je leert steeds nieuwe dingen als je groter wordt.

Je vader en moeder zorgen ervoor dat je gezond eet.

Ze beschermen hun kinderen, knuffelen ze, spelen met ze, wassen ze en zorgen dat ze er netjes bij lopen. Het enige wat ze niet doen, is zeuren dat ze hun kamer moeten opruimen!

het meest op die van jou?

Dieren-gezinnen

Gezinnen zijn er in soorten en maten. Een vader én een moeder of alleen een van de twee. Eén kind of een heleboel. Hele groepen met ooms en tantes erbij, of misschien zelfs met dikke vrienden. Het kan allemaal!

Runderen leven in grote groepen. Je noemt dat kuddes. In één kudde zijn een heleboel kalfjes familie van elkaar. Ze doen alles samen: spelen, slapen, eten…

Gezellig samen
Ga jij wel eens op stap met de familie van een vriendje? Deze jonge nijlpaarden liggen heerlijk in het water met hun moeders.

Je hebt ook allerlei soorten mensengezinnen. Met één of twee ouders, veel of weinig kinderen, stiefbroertjes of -zusjes... Misschien woont jouw opa of oma wel bij je thuis!

Ik ben de baas!
In een kudde giraffes zijn vaak een of twee sterke mannetjes de baas. Alle vrouwtjes en kinderen volgen hen.

gezin.

Zo doen wij het!

Deze dierenfamilies zijn allemaal anders. Elke familie leeft op zijn eigen manier.

Een wasberenmoeder voedt haar kinderen alleen op. Als ze eten gaat zoeken, laat ze haar kinderen achter op het veiligste plekje dat ze kan vinden. Dit knusse holletje in een boomstam, bijvoorbeeld.

Trotse papa

Een vaderzeepaardje draagt de eitjes in een veilige buidel op zijn buik, tot ze uitkomen en de babyzeepaardjes tevoorschijn komen.

In wat voor soort gezin woon jij?

Als een babyzeeleeuw geboren is (en deze is echt nog héél jong), zorgt zijn moeder maar een paar dagen voor hem. Daarna moet ze erop uit om eten te zoeken.

Veel vrouwen

Een mannetjeszeeleeuw noem je een stier. Hij heeft een heleboel vrouwen. Na het paren vertrekt hij om weer alleen te gaan leven.

Om de beurt

Deze babypinguïn is nooit alleen. Er is altijd iemand om voor hem te zorgen. Zijn vader en moeder gaan wel weg om eten te zoeken, maar niet tegelijk. Om de beurt passen ze op hun kleintje.

Een baby'tje erbij

Dat is spannend! Er komt een nieuwe baby. Dieren die net geboren zijn, zijn nog heel klein en zwak. Hun moeders moeten extra goed voor ze zorgen.

koe met kalfje

Even uitrusten...
Deze mama lynx slaat een poot om haar baby voor een lekker dutje met z'n tweeën.

Pimpelmeesjes leggen meestal wel zeven of acht eitjes tegelijk. Papa en mama pimpelmees hebben het dus heel druk als hun nieuwe, hongerige jonkies er zijn!

Hou je maar
goed vast!
makaken

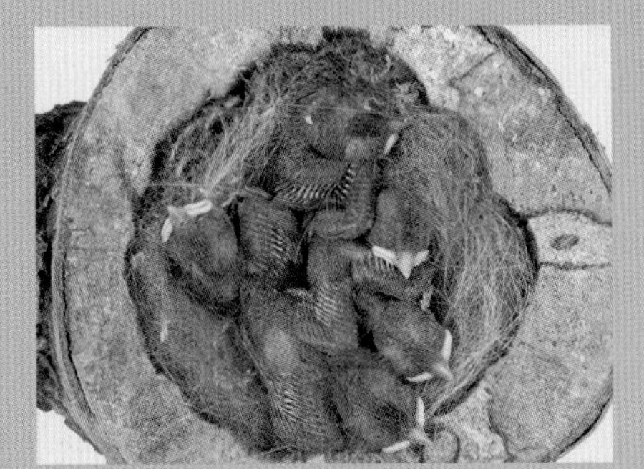

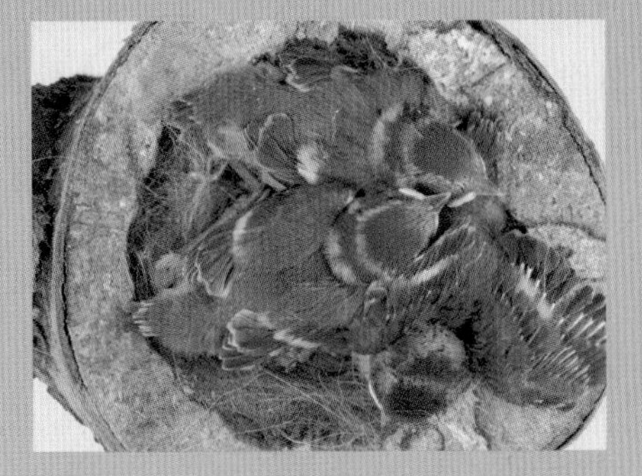

orang-oetans

Melk van mama

Een boel babydieren drinken als ze net geboren zijn melk bij hun moeder. Als ze groter worden, gaan ze ook echt grote-dieren-voedsel eten!

Ook mensenbaby's drinken melk bij hun moeder. Sommige baby's blijven moedermelk drinken als ze ook al andere dingen eten.

schapen

Poemawelpjes zijn blind en doof als ze net geboren zijn. Het is maar goed dat hun eten zo lekker dichtbij is!

Moedermelk is goed voor

Kunstje onder water
Baby's drinken de melk uit hun moeders borst. Deze kleine hongerige zeekoe kan het zelfs onder water!

Ik heb berenhonger, net als mijn zusjes. Omdat mijn moeder soms wel drie welpjes tegelijk krijgt, heeft ze meerdere tepels. Ik hoop maar dat er genoeg melk is voor ons allemaal!

grizzlyberen

baby's. Ze worden er groot en sterk van.

Broers en zussen

Heb jij broertjes en zusjes? Dieren hebben er vaak een heleboel. En soms worden ze allemaal tegelijk geboren!

Jonge katjes vinden het heerlijk om te spelen. Meestal worden er drie tot vijf kittens tegelijk geboren.

Wat een boel biggetjes!
Biggetjes hebben vaak een heleboel broers en zusjes. Meestal krijgt hun moeder wel tien baby's achter elkaar, of zelfs nog meer!

Met een groot gezin verveel je je nooit;

Schapen lijken wel een beetje op mensen. Ze krijgen meestal maar één baby per keer, en soms een tweeling.

Vrolijke bende

Grote honden, zoals labradors, krijgen soms wel veertien puppy's tegelijk. Dat is vast een vrolijke bende!

Ik heb mijn wagen volgeladen…

Hoeveel kuikentjes tel je op de rug van deze mama zaagbek?

er is altijd wel iemand om mee te spelen.

Een dagje uit

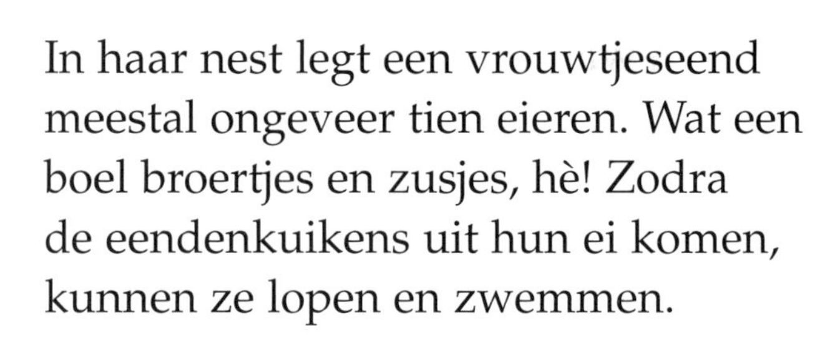

In haar nest legt een vrouwtjeseend meestal ongeveer tien eieren. Wat een boel broertjes en zusjes, hè! Zodra de eendenkuikens uit hun ei komen, kunnen ze lopen en zwemmen.

zwaan met kuikens

Met z'n allen waggelen de eendjes
achter hun moeder aan naar het water.
Daar kunnen ze zelf al hun eten vinden.
Wel blijven ze altijd dicht in de buurt
van hun moeder!

Een eigen huis...

Mensen hebben huizen waarin ze veilig en warm kunnen wonen. Ook veel dieren bouwen een schuilplaats voor zichzelf. Sommige dieren dragen hun huis op hun rug. Zoals de schildpad, die kan zich verstoppen onder zijn schild.

schildpadden

konijn

Sommige dieren leven onder de grond,

Een boomhuis

Veel vogels bouwen hun nest in een holle boom. Daar zitten hun kleintjes veilig. De vogels gebruiken hun snavels om van takjes, blaadjes, mos, veertjes en wat ze maar kunnen vinden een zacht bedje te maken.

andere hoog in de bomen.

Goeiemorgen!

Vind jij het 's ochtends wel eens moeilijk om uit je lekkere warme bed te komen? Of spring je elke dag fris en vrolijk uit je nest?

Babyvosjes noem je welpen. Deze welpjes worden net wakker in hun warme hol.

zebra

De ijsbeertjes hiernaast hebben geen moeite met opstaan. Wel jammer dat hun moeder zo niet kan uitslapen...
Snif! Wat ruikt de ochtendlucht lekker fris!
Even gapen en uitrekken en dit konijn is klaar om aan de dag te beginnen!

gorilla's

Mama, mag ik bij je zitten?

Ook dieren knuffelen. Dierenmoeders likken hun jonkies en besnuffelen ze om te zorgen dat zij zich veilig en geborgen voelen. Zo bouwen ze een band op met hun kleintje.

jachtluipaarden

Het is belangrijk dat een moeder een

Dat ruikt bekend

Na twee of drie dagen herkent een zebraveulentje zijn moeder aan haar geur, aan haar stem en aan hoe ze eruitziet. Voor die tijd laat mama zebra niemand van de kudde bij haar kind.

Ik leer mijn mama kennen door met mijn neus over haar zachte snuit te wrijven en haar te likken met mijn tong.

Brrrrr

Deze kleine zeehond is nog maar net geboren op het ijs van Antarctica. Zijn moeder moet hem al snel alleen laten om eten te gaan zoeken. Als ze terugkomt, herkent ze haar baby aan zijn geur.

goede band met haar baby kan opbouwen.

Schoon gepoetst

konijn

Natuurlijk kun jij al van alles zelf! Maar soms helpt je vader of moeder vast nog wel bij het tandenpoetsen of haren kammen. Dieren zien er ook graag netjes en schoon uit.

Dit edelhert likt haar kalfje. Dat is niet alleen fijn, maar het wordt er ook schoon van.

Wassen maar
Deze kleine ringstaartmaki wordt door zijn mama én zijn tante opgetut! Eén lik over zijn snuit en hij is weer helemaal schoon.

kittens

Katten likken niet alleen zichzelf schoon, maar ook andere katten. Als jouw katje je likt, betekent dat dat hij je aardig vindt en vertrouwt.

Bavianen besteden veel tijd aan het vlooien: het schoonmaken van elkaars vacht. Kleine beestjes kruipen tussen de haren en zorgen voor jeuk. Dan is het handig als iemand ze opspoort en weghaalt!
Jongen, waarom maak je nooit je oren goed schoon?

Een frisse duik

Niets is zo lekker als spelen in het water! Dat vinden deze olifanten tenminste. Als ze eenmaal in het water zijn, willen ze er niet meer uit.

Mensenbaby's moeten leren bewegen. Kruipen, lopen, iets vastpakken: het gaat allemaal steeds ietsje beter. Op dezelfde manier leert een baby-olifantje hoe hij zijn slurf kan gebruiken.

Olifanten spelen niet alleen in het water om schoon te worden, maar ook om af te koelen en om kleine beestjes kwijt te raken die op hun huid zitten.

om in modderig water te spelen.

kuikentjes voeren

Etenstijd

Wat eet jij graag 's avonds? Aardappels of liever pasta? Dierenkinderen eten heel andere dingen, zoals gras, noten of insecten. Vogels voeren hun jonkies zelfs wormen.

Grazen
Deze neushoorns houden erg van gras. In kuddes lopen ze eroverheen en eten ervan. Dat noem je grazen.

Veel dieren eten andere dieren. Zoals deze leeuwen. Als ze met elkaar stoeien, leren de leeuwenwelpjes hoe ze later moeten jagen.

Hm, hoe krijg ik deze noot nou open? Er zit vast iets lekkers in…

Groente is gezond

koala

Sommige dieren eten alleen maar planten en geen vis of vlees. Net als sommige mensen trouwens; die noem je vegetariërs. Dieren die van bladeren en gras leven, moeten daar heel veel van eten om alle energie te krijgen die ze nodig hebben.

Wat je van ver haalt, is lekker…
Handig, zo'n lange nek! Giraffes kunnen van takken eten waar geen enkel ander dier bij kan.

Gelukkig hoeven vegetariërs niet alleen gras te eten… Zaden, noten en groenten zijn ook heerlijk!

In het bos vind ik altijd wel een lekker hapje.
berggorilla

Vissen vangen

Mmm, we eten vis vanavond. Als jij thuis vis eet, is de kans groot dat je ouders die in een winkel gekocht hebben. Als jonge dieren vis willen eten, moeten ze eerst leren hem zelf te vangen.

Otters vangen en eten heel veel vis. Deze moederotter laat haar kind zien hoe het moet.

Kijk, zo doe je dat!
Als ze een paar weken oud zijn, leren babyzeehonden hoe ze vissen moeten vangen. Zwemmen kunnen ze al vlak nadat ze geboren zijn. Door de speciale melk van hun moeder krijgen ze een dikke vetlaag, waardoor ze warm blijven in het water.

Vis is niet alleen goed voor jonge dieren, maar ook voor mensen. Je krijgt er sterke botten van en het is goed voor je hersenen en je hart.

Vis eten is gezond!

En ook heel erg lekker.

Wil je me dragen?

Toen jij nog heel klein was en niet zelf kon lopen, droegen je vader en moeder je. Dierenouders dragen hun jonkies ook; op hun rug, in een buidel of zelfs in hun bek!

koala's

Kleine benen zijn niet zo sterk als grote.

Deze wallaby-baby, een kleine kangoeroe, blijft de hele tijd in mama's buidel. Zelfs als ze al wat groter zijn, vinden wallaby's het fijn om in de buidel weg te kruipen.

Ga jij wel eens paardjerijden op je vaders of moeders rug? Gek genoeg doen veulens dat zelf nooit bij hun ouders...

Hou je vast!

De eerste negen maanden van hun leven kunnen gorilla's nog niet zo ver lopen. Ze houden zich stevig vast aan hun moeders vacht of klimmen op haar rug.

Elke kattenmoeder draagt haar kleintjes in haar bek. Ze houdt het nekvel van haar kittens heel voorzichtig vast met haar tanden.

Best fijn om soms gedragen te worden!

Verstoppertje spelen

Sommige dieren zijn moeilijk te vinden. Ze vallen bijna niet op in hun omgeving. Daardoor zijn ze veilig voor hun vijanden. Of het helpt ze juist om zich te verbergen wanneer ze op andere dieren jagen.

dwergplevier

eieren van een plevier tussen de stenen

Als een vacht net zo'n kleur heeft als

Dubbel handig
Doordat de vacht van dit jonge jachtluipaard zo op het droge gras lijkt, kan hij zich goed verstoppen voor vijanden. Als hij groter wordt, verbergt zijn schutkleur hem voor de prooidieren waarop hij jaagt.

Niemand ziet ons hier, dus we kunnen rustig verder grazen. Mmm, lekker, al dat gras.

berggeiten

de omgeving, heet dat een schutkleur.

Mama en ik

Nijlpaarden houden van water. Wist je dat de walvissen hun naaste familie zijn?
Een nijlpaardenmoeder krijgt meestal één baby tegelijk. Het eerste levensjaar van haar kind blijft mama nijlpaard steeds bij haar baby in de buurt.

Nijlpaarden zijn zo zwaar dat ze over de bodem van meren of rivieren kunnen lopen. Ze hoeven zich niet te haasten; volwassen dieren kunnen wel vijf minuten hun adem inhouden.

Mama en ik zijn het liefst de hele dag in het water. Dat houdt ons lekker koel in de hete zon. 's Avonds komen we uit het water om naar eten te zoeken.

In en langs het water leven heel veel dieren. Met mijn moeder in de buurt voel ik me altijd veilig. Ze wijst me de weg en beschermt me als er gevaar dreigt.

orang-oetan

Spelen

Wat doe jij het allerliefst? Spelen natuurlijk! Dierenbaby's houden ook van spelen. En spelen is niet alleen leuk; je leert er ook heel veel van. Handig!

Spelen is leuk! Je leert nieuwe dingen, het

Pas op, daar kom ik!
Deze chimpanseemoeder speelt met haar kind om te laten zien hoeveel ze van hem houdt. Speel jij vaak met je vader en moeder?

Soms zien spelletjes van dieren er pijnlijk uit, maar meestal valt dat mee. Door te stoeien leren jonge dieren hoe ze moeten jagen en hoe ze in het wild kunnen overleven.

kittens

Glijbaantje
Keizerpinguïns hoeven nooit te hopen dat het eindelijk eens gaat sneeuwen. Ze kunnen elke dag lekker over het ijs glijden!

houdt je fit en je maakt er vrienden mee.

In bomen klimmen

Hou jij ervan om in bomen te klimmen? Sommige dieren wonen in bomen, spelen erin en vinden er al hun eten.

bruine beer

Van klimmen krijg ik heel sterke spieren! Als ik straks groot en zwaar ben, kom ik nooit meer zo hoog.

wasberen

Mama stekelvarken en haar jong klimmen in een boom om bladeren en boombast te eten. Als ze te veel bast eten, gaat de boom dood.

Van klimmen in bomen word je fit;

Hoog in de bomen
Luiaards hangen het grootste deel van hun leven aan een boomtak. Ze komen maar één keer per week naar beneden om te poepen…

en het gaat steeds beter!

Gereedschap

Net als jij eet deze chimpansees met mes en vork. Nou ja, met een stokje dan. Hij gebruikt het om insecten te vangen: zijn lievelingseten!

Alleen de slimste dieren maken

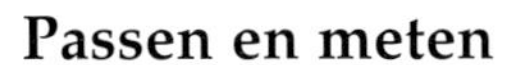

Passen en meten

Chimpansees kauwen soms op het uiteinde van een stokje om te zorgen dat het beter in de gaten en tunnels van een termietennest past.

Deze chimpansees hebben het goed bekeken. Ze zijn boven op een termietennest gaan zitten; lekker dicht bij hun lunch.

Er zijn niet zo heel veel dieren die gereedschappen gebruiken. Behalve mensen zijn dat apen, zeeotters en sommige vogels.

en gebruiken gereedschappen.

Hallo, hier ben ik!

Baby's en hun ouders praten op allerlei manieren met elkaar. Een verdwaald pinguïnkuiken herkent de stem van haar moeder uit duizenden. Maar je stem gebruiken is niet de enige manier om met elkaar te praten…

pinguïn

Grrrrr…
Zeehondenmoeders grommen en raken hun jongen aan om ze te beschermen en om te laten zien hoeveel ze van hen houden.

Op de uitkijk
Dit jonge stokstaartje kan rustig gaan spelen. Aan de manier waarop zijn vader staat en om zich heen kijkt, kan hij zien dat hij goed op hem past.

en om hun baby's van alles te leren.

Kijk, ik loop!

Voor dieren zoals zebra's en giraffen is lopen en rennen heel belangrijk. Op die manier kunnen ze aan roofdieren ontkomen. Babygirafjes kunnen daarom binnen een uur na hun geboorte al staan. Niet zo gek dat het er nog een beetje wiebelig uitziet…

Oeps,
best moeilijk om
te blijven staan
op die lange dunne
benen!

Een kudde gnoes is altijd aan het trekken. Daarom krijgt een babygnoe niet veel rust. Twintig minuten na zijn geboorte moet een babygnoe al kunnen rennen.

Volg de leider

Als groepen dieren van de ene naar de andere plaats trekken, gaat er meestal één volwassen dier voorop. De jonge dieren komen er achteraan.

Deze ijsberenbaby's blijven bij hun moeder als zij op pad gaat om te jagen. Dit is waarschijnlijk hun eerste uitstapje sinds ze geboren zijn!

pinguïnkuikens

Deze kant op!
Olifantenkuddes bestaan meestal uit een aantal volwassen vrouwtjes en hun kalfjes. Eén vrouwtje is de baas. Wanneer de kudde op zoek gaat naar water, wijst zij de weg.

Wat een boel kuikens waar ik op moet letten!
Als ik maar niemand kwijtraak…

Trotse ouders

leeuwenwelp

Leeuwen zijn de koning van de jungle; gevaarlijke jagers waarvoor alle andere dieren bang zijn. Maar als het op hun kinderen aankomt, zijn papa- en mamaleeuwen net lieve huispoezen.

Hallo mama!
Een babyleeuwtje klimt en kruipt dwars over zijn moeder heen. Hij houdt wel van een stevig, maar vriendelijk stoeipartijtje. Hierdoor ontstaat een band tussen de leeuwin en haar welpje.

Dierenbaby's vinden het leuk om hun ouders uit te dagen en met ze te ravotten. Ook mensenkinderen stoeien met hun ouders. Wie is er het sterkst, jouw papa of jij?

voor een keertje, vind je niet?

Lekker knuffelen!

Als je moe, verdrietig of bang bent, wil je het allerliefste een lekkere knuffel. Dieren troosten hun kinderen ook, op hun eigen manier.

Deze ringstaartmaki's willen allemaal tegelijk een knuffel van hun moeder!

Kom maar, kleintje

Olifanten kunnen elkaar geen knuffel geven zoals wij mensen dat doen. Maar een stevige slurf van je oudere zus kan net zo goed troosten!

als je je verdrietig voelt.

Bescherming

Overal in het dierenrijk doen moeders en vaders alles wat ze kunnen op hun kinderen te beschermen tegen gevaar. Dat doen ze op allerlei manieren.

Opgelet

Een groep stokstaartjes zoekt op de warme vlakte naar eten. Elk stokstaartje uit de groep heeft zijn eigen rol. Hierboven zoeken de kleintjes op de grond naar insecten, terwijl de volwassenen de wacht houden.

Als er gevaar dreigt, maken deze ruwharige muskusossen een kring om hun kalfjes heen.

Bedtijd

hazelmuis

Sommige babydieren slapen 's nachts, andere overdag. Sommige slapen in nesten, andere in bomen. Er zijn er zelfs die gewoon ergens een lekker plekje op de grond zoeken.

Zzzzzzzzzzzzzzzzzzzzzzzz

Hoog in de bomen

Doodshoofdaapjes leven boven in bomen en daar slapen ze dus ook. Ze hebben een speciaal instinct dat ervoor zorgt dat ze niet naar beneden vallen.

Babyuilen (of uilskuikens) slapen ook in bomen. Deze broers en zusjes zijn lekker tegen elkaar aan gekropen op een veilige tak.

Dieren die overdag slapen en 's nachts op zoek gaan naar voedsel, noem je nachtdieren.

Tot ziens!

Nu weet je een heleboel over dierenfamilies en hoe ze leven. Welk babydier vind jij het liefst?

gorilla

Dag allemaal!

Tot de volgende keer!

Woordenlijst

Wat betekent het allemaal?
Hier vind je een paar woorden uit dit boek over dierenfamilies op een rijtje.

instinct
Een gevoel dat dieren vanaf hun geboorte hebben dat maakt dat ze kunnen overleven.

kudde
Een grote groep van dieren die samen reizen en leven.

nachtdier
Een dier dat overdag slaapt en 's nachts naar eten zoekt.

paren
Als een mannetje en een vrouwtje paren, krijgen ze een tijdje later baby's.

prooi
Een dier waarop een roofdier jaagt om het op te kunnen eten.

schutkleur
Dieren die dezelfde kleur hebben als de omgeving waarin ze leven, hebben een schutkleur.

vlooien
Het verwijderen van kleine beestjes en vuiltjes uit elkaars vacht.

zoogdier
Een dier met een vacht waarvan de baby's melk drinken bij hun moeder.

Fotoverantwoording

De uitgever wil onderstaande personen en bedrijven bedanken voor het gebruik van hun foto's:
(b=boven; o=onder; l=links; r=rechts; m=midden): **Alamy Images:** Arco Images 14bl; Steve Austin/ Papilio 9ol; Blickwinkel/ Kaufung 24ml; Blickwinkel/ Weber 6br; Andrew Fox 29mo, ol, or; Jonathan Hewitt 26m; Juniors Bildarchiv 6o; Erich Kuchling/ Westend 61 15m; Thomas D Mangelsen/ Peter Arnold, Inc. 33; Martin Phelps 14m; Photo Network/ Bill Bachmann 4ol; Steve Bloom Images 7bm, 28om, or; Duncan Usher 21or, 24bl; Brent Ward 7or; WorldFoto 46br. **Ardea:** Uno Berggren 19br; Elizabeth Bomford 32ml; John Daniels 54bl; Jagdeep Rajput 60-61. **Corbis:** O. Alamany & E. Vicens 11b; Tom Brakefield 55; W. Perry Conway 10m; George McCarthy 11or; Joe McDonald 28mr; Paul Souders 22bl, 27; Gabriela Staebler/ Zefa 23br; Kennan Ward 57or. **DK Images:** Barleylands Farm Museum and Animal Centre, Billericay 15mlb; Two Hand Promotions 7ml, 22-23, 30mro, 37bl, 38om, or, 39om, ol, or, 52m, 53, 56m, 59b. **Michael Fiddleman 2008:** 9bl. **FLPA:** Tui De Roy/ Minden Pictures 18bl; Tim Fitzharris/ Minden Pictures 42mr; Michael & Patricia Fogden/ Minden Pictures 43; Sumio Harada/ Minden Pictures 37o; Mitsuaki Iwago/ Minden Pictures 34; Frans Lanting 1, 32mr; Yva Momatiuk & John Eastcott/ Minden Pictures 40o; Pete Oxford/ Minden Pictures 29b; Fritz Polking 31; Ingo Schulz/ Imagebroker 35bl; Jurgen & Christine Sohns 46m; Sunset 41mr; Tom Vezo/ Minden Pictures 36mlb; Michael Weber/ Imagebroker 47r; Konrad Wothe/ Minden Pictures 36o, 42or, ml; Norbert Wu/ Minden Pictures 23mr. **Getty Images:** James Balog 44-45; The Image Bank/ Andy Rouse 52bl; The Image Bank/ Daniel J. Cox 8mr; The Image Bank/ Joseph Van Os 50-51; Beverly Joubert/ National Geographic 38-39b; Jochen Luebke/ AFP 38ml; Michael Melford 54o; Minden Pictures/ Norbert Wu 8ol; Minden Pictures/ ZSSD 60bl; Photographer's Choice/ Daniel J Cox 20mrb; Photographer's Choice/ Johan Elzenga 5or; Photographer's Choice RR/ Ronald Wittek 8bl; Reportage/ Paula Bronstein 2; Riser/ Darrell Gulin 25; Robert Harding World Imagery/ Thorsten Milse 21br, 50mrb; Science Faction/ Konrad Wothe 9br; Manoj Shah 45br; Stone - Daniel J Cox 56-57; Stone/ Anup Shah 58m; Stone/ David Trood 4-5b; Stone/ Jose Luis Pelaez 5mr; Taxi/ Benelux Press 28bl; Taxi/ Stan Osolinski 51bl. **iStockphoto.com:** Debra McGuire 47. **naturepl.com:** Eric Baccega 3, 13o; Bernard Castelein 59mr; Todd Pusser 13br; Gabriel Rojo 12mr; Anup Shah 12bl, 40bl, 41br, 48om, or, ml, 49oc, ol, or; Shattil & Rozinski 63; Carol Walker 48-49; Wegner/ Arco 35mr. **NHPA/ Photoshot:** Stephen Dalton 58bl. **Photolibrary:** OSF/ Rob Nunnington 20-21; OSF/ Mike Powles 24mr. **PunchStock:** Digital Vision 10br, 16-17; Photodisc/ John Giustina 5br. **Still Pictures:** Compost/ Visage 19o. **SuperStock:** Age Fotostock 16mlo; ZSSD 30bl.

Afbeeldingen omslag: Voor: **Getty Images:** Robert Harding World Imagery/ Thorsten Milse. Achter: **Alamy Images:** Steve Bloom Images m; **Corbis:** Paul Souders ml.

Nieuwe dingen leren is leuk! Maar soms wel moeilijk. Gelukkig weet mama alles!

hert

moeilijke woorden je kent!

Register

Met dank aan Rob Nunn,
Julia Harris-Voss en
Natalie Godwin voor
hun hulp bij dit boek.